Era verão, o sol brilhava e as flores enfeitavam os jardins. Na floresta ecoava o coaxar dos sapos, o gorjeio do sabiá, o barulhinho gostoso do riacho e o canto alegre da cigarra:

— Diversão aquece o coração! Lá, lá, laralaralará! Quem trabalha demais, perde o verão! Lá, lá, laralaralará!

TODOS PODIAM OUVI-LA CANTAR E TOCAR SUA VIOLA PARA A ALEGRIA DOS FÃS, QUE FAZIAM ATÉ COREOGRAFIA PARA ACOMPANHAR O SEU SOM. ELA SÓ PARAVA MESMO PARA UM LANCHINHO, COM FOLHAS VERDES E SUCULENTAS.

ENQUANTO ISSO, AS FORMIGAS CORRIAM DE UM LADO PARA O OUTRO, CARREGANDO GRÃOS E FOLHAS ATÉ MAIORES E MAIS PESADAS QUE ELAS.
— EI, AMIGAS! VOCÊS VÃO SE CANSAR. PRA QUÊ TANTO TRABALHO? É VERÃO, TEMPO DE ALEGRAR O CORAÇÃO! — GRITOU A CIGARRA, TENTANDO CHAMAR AS POBRES FORMIGUINHAS PARA A FESTA.

MAS AS FORMIGAS NEM DERAM OUVIDOS À CIGARRA. EXCETO POR UMA QUE CARREGAVA UM ENORME GRÃO DE TRIGO, TODA DESAJEITADA.
— HUMMM... ACHO QUE ELA TEM RAZÃO. VOU PARAR SÓ UM POUQUINHO DE TRABALHAR E CURTIR OS VENTOS DO VERÃO. EU MEREÇO! AFINAL, JÁ TRABALHEI TANTO NESTA VIDA... — PENSOU ELE.

DE REPENTE, OUVIU-SE O SOM DE TROMBETAS. ERA A RAINHA QUE SE APROXIMAVA E PAROU SUA CARRUAGEM PERTO DA MANGUEIRA. AO VER UMA DE SUAS FORMIGAS PULANDO, DANÇANDO E CANTANDO, DESCEU DE SUA CARRUAGEM PARA CONVERSAR COM A CIGARRA.

— DONA CIGARRA, QUANDO O INVERNO E A NEVE CHEGAREM, A SENHORA VAI MUDAR DE CANÇÃO.

— ORA... PENSEI QUE MINHA CANTIGA ALEGRASSE O TRABALHO DE SUAS OPERÁRIAS!

ENTÃO, A FORMIGA CORREU PARA COLOCAR O GRÃO DE TRIGO NAS COSTAS E VOLTAR À FILA, CANTANDO: "TRABALHAR AQUECE O CORAÇÃO! LÁ, LÁ, LARALARALARÁ!".

EIS QUE, TEMPOS DEPOIS, AS FOLHAS DA MANGUEIRA AMARELARAM, O VENTO SOPROU MAIS FORTE E OS ANIMAIS FORAM PARA SEUS ABRIGOS.
— OPS! SERÁ QUE A RAINHA TINHA RAZÃO? AH, DEIXA PRA LÁ! QUE ME IMPORTA? EU QUERO MAIS É ME DIVERTIR! — PENSOU A CIGARRA.

ENQUANTO ISSO, AS FORMIGAS JÁ TINHAM UM BELO ESTOQUE DE ALIMENTOS NO FORMIGUEIRO. ESTAVA QUASE TUDO PRONTO, FALTAVAM APENAS OS ÚLTIMOS DETALHES: ACOMODAR OS BEBÊS NO BERÇÁRIO, TRANCAR A PORTA DE ENTRADA DO FORMIGUEIRO E ESPERAR O INVERNO CHEGAR.

NÃO DEMOROU MUITO PARA O FRIO FICAR CADA VEZ MAIS FORTE, AS FOLHAS DAS ÁRVORES CAÍREM E A NEVE COBRIR TODO O SOLO.
— VOU CONGELAR AQUI FORA! — DISSE A CIGARRA, COM A VOZ BEM FRACA, ENQUANTO PROCURAVA ALGUMA COISA PARA COMER.

OLHAVA EMBAIXO DE FOLHAS SECAS, DENTRO DOS TRONCOS E ATÉ EM NINHOS ABANDONADOS, MAS NÃO ENCONTRAVA NADA. CONFORME A FOME AUMENTAVA, A SITUAÇÃO PIORAVA, E A CIGARRA FOI FICANDO CADA VEZ MAIS MAGRINHA.

DEPOIS DE MUITO CAMINHAR NA NEVE, A CIGARRA CRIOU CORAGEM E RESOLVEU SE APROXIMAR DO FORMIGUEIRO. ELA ESTICOU O PESCOÇO E ESPIOU PELA JANELA.

— OLHA SÓ! ALGUMAS ESTÃO COMENDO E OUTRAS TRABALHANDO. NOSSA, ELAS NUNCA PARAM! MAS NINGUÉM PARECE TER FOME. AI, AI... QUEM ME DERA TER CORAGEM DE BATER À PORTA E PEDIR COMIDA, MESMO DEPOIS DE A RAINHA TER ME AVISADO QUE O INVERNO SERIA TÃO RIGOROSO!

　　MAS A FOME ERA TANTA, QUE A CIGARRA NÃO TEVE OUTRA SAÍDA A NÃO SER BATER À PORTA DO FORMIGUEIRO.
　　— QUEM SERÁ A ESSA HORA DA NOITE? QUEM VIRIA ATÉ AQUI NO MEIO DESSA VENTANIA? — FALOU UMA FORMIGA.
　　— AMIGAS, SOU EU, A CIGARRA!

AS FORMIGAS ABRIRAM A PORTA E VIRAM A CIGARRA MUITO FRACA. ENTÃO, DERAM-LHE COMIDA E COBERTORES. A CIGARRA PENSOU:
— AINDA BEM QUE NÃO OUVI A RAINHA, QUE DISSE PARA EU NÃO ME DIVERTIR NO VERÃO E ARMAZENAR COMIDA PARA O INVERNO. AFINAL, QUEM RESISTE AO PEDIDO DA POBRE CIGARRA?

EM SEGUIDA, A RAINHA ENTROU NA SALA, MAS QUEM FALOU FOI A CIGARRA:

— RAINHA, IMPLORO QUE ME DEIXE PASSAR O INVERNO NO SEU FORMIGUEIRO!

— AQUI, SÓ QUEM TRABALHA, COME. ENTÃO, SE QUISER FICAR, TOQUE SUA VIOLA E CANTE.

E A CIGARRA LOGO FEZ UMA NOVA CANÇÃO:

— TRABALHAR AQUECE O CORAÇÃO! QUEM TRABALHA MAIS, GARANTE UM BANQUETÃO! LÁ, LÁ, LARALARALARÁ!